守望相助共克疫情
携手同心推进合作

——在金砖国家领导人第十二次会晤上的讲话

（2020年11月17日）

习　近　平

人　民　出　版　社

图书在版编目(CIP)数据

守望相助共克疫情　携手同心推进合作:在金砖国家领导人第十二次会晤上的讲话/习近平 著. —北京:人民出版社,2020.12

ISBN 978-7-01-022746-7

Ⅰ.①守…　Ⅱ.①习…　Ⅲ.①习近平-讲话-学习参考资料②世界经济-国际合作-学习参考资料　Ⅳ.①D2-0②F114.4

中国版本图书馆 CIP 数据核字(2020)第 238250 号

(RMC-ZJDXI-103-20201117)

守望相助共克疫情　携手同心推进合作

SHOUWANG XIANGZHU GONGKE YIQING XIESHOU TONGXIN TUIJIN HEZUO

——在金砖国家领导人第十二次会晤上的讲话

(2020 年 11 月 17 日)

习　近　平

人民出版社 出版发行

(100706　北京市东城区隆福寺街 99 号)

北京新华印刷有限公司印刷　新华书店经销

2020 年 12 月第 1 版　2020 年 12 月北京第 1 次印刷

开本:880 毫米×1230 毫米 1/32　印张:0.25

字数:4 千字

ISBN 978-7-01-022746-7　定价:2.00 元

邮购地址 100706　北京市东城区隆福寺街 99 号

人民东方图书销售中心　电话 (010)65250042　65289539

守望相助共克疫情
携手同心推进合作

——在金砖国家领导人第十二次会晤上的讲话

（2020 年 11 月 17 日，北京）

中华人民共和国主席　习近平

尊敬的普京总统，

尊敬的莫迪总理，

尊敬的拉马福萨总统，

尊敬的博索纳罗总统：

首先，感谢普京总统和俄罗斯政府为这次金砖国家领导人会晤所做精心安排。当前，世纪疫情和百年变局交织，国际格局深刻演变。在这样一个重要时刻，我们举行这次会晤，共商抗疫合作大计，共绘金砖发展蓝图，具有特殊重要意义。

环顾全球，疫情使各国人民生命安全和身体健康遭受巨大威胁，全球公共卫生体系面临严峻考验，人类社会正在经历百年来最严重的传染病大流行。国际贸易和投资急剧萎缩，人员、货物流动严重受阻，不稳定不确定因素层出不穷，世界经济正在经历上世纪30年代大萧条以来最严重的衰退。单边主义、保护主义、霸凌行径愈演愈烈，治理赤字、信任赤字、发展赤字、和平赤字有增无减。

同时，我们坚信，和平与发展的时代主题没有改变，世界多极化和经济全球化的时代潮流也不可能逆转。我们要为人民福祉着想，秉持人类命运共同体理念，用实际行动为建设美好世界作出应有贡献。

——我们要坚持多边主义，维护世界和平稳定。历史昭示我们，恪守多边主义，追求公平正义，战乱冲突可以避免；搞单边主义、强权政治，纷争对抗将愈演愈烈。如果无视规则和法治，继续大搞单边霸凌、“退群毁约”，不仅违背世界人民普遍愿望，也是对各国正当权利和尊严的践踏。

面对多边和单边、公道和霸道之争，金砖国家要坚定维护国际公平正义，高举多边主义旗帜，捍卫联合国宪章宗旨和原则，维护以联合国为核心的国际体系，维护以国际法为基础的国际秩序。各国应该超越意识形态，尊重彼此根据自身国情选择的社会制度、经济模式、发展道路。要倡导共同、综合、合作、可持续的安全观，通过协商和谈判化解分歧，反对干涉内政，反对单边制裁和“长臂管辖”，共同营造和平稳定的发展环境。

——我们要坚持团结协作，合力克服疫情挑战。当前，病毒仍在全球肆虐，疫情还在不断反复，夺取全球抗疫胜利仍需付出艰苦努力。经过近一年的抗疫斗争，许多国家在疫情防控方面积累了宝贵经验，在药物和疫苗研发上取得了显著进展。近一年的抗疫实践证明，只要团结一心、科学防治，病毒传播可以控制，疫情影响能够克服。

我们要坚持人民至上、生命至上，调集一切资源、尽一切努力保护人民生命安全和身体健康。要加强国际联防联控，分享疫情信息，交流抗疫经验，遏制病毒传播。要支持世界卫生组织发挥关键领导作用。中国企业正在同俄罗斯、巴西伙伴合作开展疫苗三期临床试验，我们也愿同南非、印度开展有关合作。中方已经加入“新冠肺炎疫苗实施计划”，将在这个平台上同各国特别是其他发展中国家分享疫苗。我们愿积极考虑向有需要的金砖国家提供疫苗。为推动金砖国家疫苗研发中心建设，中方已经设立疫苗研发中国中心，愿通过线上线下相结合方式，推进五国疫苗联合研发和试验、合作建厂、授权生产、标准互认等工作。我倡议五国召开传统医药研讨会，探索传统医药在新冠肺炎防治方面的作用，为全球疫情防控增添有力武器。

事实证明，将疫情政治化、污名化，搞“甩锅”、推责，干扰的是全球合作抗疫大局。我们要推动以团结取代分歧，以理性消除偏见，扫除“政治病毒”，凝聚起各国携手抗疫的最大合力。

——我们要坚持开放创新，促进世界经济复苏。根据国际货币基金组织预测，今年世界经济将萎缩4.4%，新兴市场国家和发展中国家将经历60年来首次负增长。一手防疫情，一手稳经济，是各国刻不容缓的任务。我们要在确保安全前提下，积极推进经济复苏，在疫情防控常态化中实现经济社会活动有序开展。要加强宏观经济政策协调，推动落实“人员与货物跨境流动便利化倡议”，保障产业链、供应链安全畅通，助力各国复工复产、恢复经济。

利用疫情搞“去全球化”，鼓吹所谓“经济脱钩”、“平行体系”，最终只会损害本国和各国共同利益。当前形势下，我们要坚定不移构建开放型世界经济，维护以世界贸易组织为核心的多边贸易体制，反对滥用国家安全之名行保护主义之实。要利用好疫情催生的新业态新模式，加强科技创新合作，营造开放、公平、公正、非歧视的营商环境，共同实现更高质量、更具韧性的发展。

中方愿同各方一道加快建设金砖国家新工业革命伙

伴关系。我们将在福建省厦门市建立金砖国家新工业革命伙伴关系创新基地,开展政策协调、人才培养、项目开发等领域合作,欢迎金砖国家积极参与。近期,中方发起了《全球数据安全倡议》,推动共建和平、安全、开放、合作、有序的网络空间,促进数字经济健康发展,希望得到金砖国家支持。

——我们要坚持民生优先,推进全球可持续发展。发展是解决一切问题的总钥匙。无论是消除疫情影响、重回生活正轨,还是平息冲突动乱、解决人道主义危机,根本上都要靠以人民为中心的发展。世界银行预测,2020 年全球人均收入将下降 3.6%,8800 万至 1.15 亿人将因疫情陷入极端贫困。

我们要直面疫情挑战,推动国际社会将落实《联合国 2030 年可持续发展议程》置于国际发展合作核心,将消除贫困作为首要目标,让资源更多向减贫、教育、卫生、基础设施建设等领域倾斜。要支持联合国发挥统筹协调作用,推动构建更加平等均衡的全球发展伙伴关系,让发展成果更多惠及发展中国家,更好满足弱势群体需求。

——我们要坚持绿色低碳,促进人与自然和谐共生。全球变暖不会因疫情停下脚步,应对气候变化一刻也不能松懈。我们要落实好应对气候变化《巴黎协定》,恪守共同但有区别的责任原则，为发展中国家特别是小岛屿国家提供更多帮助。中国愿承担与自身发展水平相称的国际责任，继续为应对气候变化付出艰苦努力。我不久前在联合国宣布，中国将提高国家自主贡献力度，采取更有力的政策和举措，二氧化碳排放力争于2030年前达到峰值，努力争取2060年前实现碳中和。我们将说到做到！

各位同事！

不久前，中共十九届五中全会审议通过了关于制定第十四个五年规划的建议，提出全面建成小康社会奋斗目标将如期实现，明年中国将开启全面建设社会主义现代化国家新征程，我们将科学把握新发展阶段，坚定贯彻新发展理念，积极构建以国内大循环为主体、国内国际双循环相互促进的新发展格局。我们将下大气力扩大内需，全面深化改革，推动科技创新，为国内经济发展增添动力。中国开放的大门不会关闭，只会越开越大。我们将更加积极地融入全球市场，更加主动地深化对外合作，为世界经济复苏发展创造更多机遇和空间。

我们都在同一艘船上。风高浪急之时，我们更要把准方向，掌握好节奏，团结合作，乘风破浪，行稳致远，驶向更加美好的明天。

谢谢。